30 recettes
légères

Recettes et photos : Sylvie Aït-Ali, pages 6, 10, 12, 14, 18, 20, 26, 28, 30,
32, 34, 36, 38, 40, 42, 44, 48, 50, 52, 54, 56, 58, 60, 62, 64 ;
Stéphanie Ellin, pages 8, 22 ;
Annabel Padilla, pages 24, 46.

EDITIONS ESI

60 rue Vitruve, 75 020 Paris

Imprimé en Italie par Gruppo Editoriale Zanardi - Maniago
© Éditions ESI - Dépôt légal : mars 2010 - Achevé d'imprimer : février 2010 - N° Sofédis : S441873 - ISBN : 978-2-35355-456-0

▶▶ sommaire

Aspic de queues d'écrevisse au vinaigre balsamique

Préparation : 30 minutes • Repos : 1 heure • Cuisson : 12 minutes • Difficulté : ★ Budget : ★★

Pour 4 personnes

- 150 g de lentilles corail
- 1 échalote
- 100 g d'asperges vertes en bocal
- 30 queues d'écrevisse
- 8 cl de vinaigre balsamique blanc
- 2 cuil. à café de sucre en poudre
- 1 cuil. à café d'agar-agar
- Sel

Faites bouillir de l'eau salée dans une casserole et plongez-y les lentilles préalablement rincées. Laissez cuire 12 minutes. Égouttez et laissez refroidir. Ajoutez l'échalote finement émincée.

Répartissez les lentilles dans les verrines.

Coupez les pointes d'asperge et placez-les sur les lentilles en couronne. Déposez à leur tour les queues d'écrevisse dans les verrines.

Versez 28 cl d'eau, le vinaigre et le sucre dans une casserole et portez à ébullition avec l'agar-agar. Faites bouillir 1 minute et laissez tiédir.

Versez dans les verrines avant gélification. Placez au frais au moins 1 heure.

Décorez de 1 pointe d'asperge et de 2 queues d'écrevisse.

Conseil : vous pouvez remplacer l'agar-agar par 2 feuilles de gélatine que vous ferez ramollir dans l'eau froide.

Aubergines farcies

Préparation : 15 minutes • Cuisson : 35 minutes • Difficulté : ★ Budget : ★★

Pour 2 à 3 personnes

- **2 aubergines**
- **Le jus de 1 citron**
- **1 oignon**
- **2 gousses d'ail**
- **300 g de viande de bœuf hachée**
- **2 tomates**
- **½ botte de coriandre**
- **Pignons de pin**
- **½ cuil. à café de cannelle en poudre**
- **Huile d'olive**
- **Sel et poivre**

Préchauffez votre four à 180 °C (th. 6).

Découpez les aubergines en deux, dans le sens de la longueur.

Dans un saladier, récupérez la chair à l'aide d'une cuillère, en veillant à ne pas percer la peau de l'aubergine. Arrosez de jus de citron et réservez.

Disposez les ingrédients suivants au fur et à mesure dans un saladier : épluchez et émincez finement l'oignon. Pelez et dégermez l'ail, réduisez-le en purée. Ajoutez le bœuf haché. Lavez et enlevez le pédoncule des tomates. Coupez-les en quatre, enlevez les graines et concassez-les en petits dés. Lavez et ciselez la coriandre.

Faites griller à sec dans une poêle quelques pignons de pin.

Mélangez bien tous les ingrédients du saladier, puis ajoutez une pointe de cannelle et assaisonnez de sel et de poivre.

Remplissez les coques d'aubergine de farce et disposez dans un plat.

Versez un filet d'huile d'olive et faites cuire au four à 180 °C (th. 6) 35 minutes environ.

Brochettes de poulet et courgettes au citron

Préparation : 30 minutes • Repos : 2 heures • Cuisson : 10 minutes • Difficulté : ★ Budget : ★

Pour 4 personnes

- **400 g d'escalopes de poulet**
- **2 courgettes**
- **1 poivron rouge**
- **1 cuil. à soupe d'herbes de Provence**
- **Le jus de 1 citron**
- **3 cuil. à soupe d'huile d'olive**
- **1 cuil. à soupe de miel**
- **Sel et poivre**

Coupez le poulet en gros dés. Lavez les courgettes (laissez la peau) et le poivron (épépinez-le). Coupez-les en gros morceaux. Placez le tout dans un saladier, salez, poivrez et ajoutez les herbes de Provence. Remuez.

Mélangez le jus de citron, l'huile d'olive et le miel, puis versez le tout sur le poulet, les courgettes et le poivron. Couvrez d'un film alimentaire et laissez reposer 2 heures minimum au frais.

Piquez les légumes en alternance avec la viande sur des brochettes, puis faites-les griller 10 minutes sur des braises ou sur une poêle à grillade sans ajouter de matière grasse.

Servez aussitôt.

Carpaccio de Saint-Jacques sur mousseline de céleri

Préparation : 30 minutes • Cuisson : 25 minutes • Difficulté : ★ Budget : ★★

Pour 4 personnes

- 200 g de céleri-rave
- 50 g de pommes reinettes
- 1,5 cuil. à soupe de crème fraîche épaisse allégée
- 2 cuil. à soupe d'huile d'olive
- Persil
- 12 noix de Saint-Jacques
- 20 g de graines germées de poireau
- Sel et poivre

Coupez le céleri-rave en dés, mettez le tout dans une casserole et couvrez d'eau.

Laissez cuire 20 minutes, puis ajoutez les pommes coupées en dés et laissez cuire 5 minutes supplémentaires.

Égouttez et mixez avec la crème pour obtenir une mousseline homogène. Ajoutez 1 cuil. à soupe d'huile d'olive, le persil et salez. Réservez.

Placez les noix de Saint-Jacques sur du papier absorbant et coupez-les en fines tranches (3 ou 4 selon la taille des noix). Placez-les sur une assiette et versez dessus 1 cuil. à soupe d'huile d'olive. Salez et poivrez.

Répartissez la mousseline dans les verrines, puis déposez les tranches de Saint-Jacques en rosace.

Finissez de décorer avec les germes de poireaux.

Réservez au frais.

Menu light

Préparation : 45 minutes • Cuisson : 25 minutes • Difficulté : ★ Budget : ★

Pour 2 personnes

Pour la sauce
- 100 g de fromage blanc à 0 %
- 2 cuil. à café de crème allégée
- Ail en poudre
- 1 cuil. à café de moutarde
- ½ cuil. à café de ciboulette
- Sel

Pour les dips
- ½ carotte
- ¼ de concombre
- ½ poivron rouge
- ½ poivron jaune
- 12 tomates cerise

Pour le flan de courgette
- ½ courgette
- 10 cl de crème liquide allégée
- 1 cuil. à café de Maïzena
- 1 œuf
- 4 feuilles de basilic
- 1 cuil. à café de parmesan
- 6 feuilles de salade verte
- Sel et poivre

Pour le smoothie vitaminé
- 2 tranches d'ananas
- 1 pomme
- 2 oranges
- 1 citron
- 6 framboises

Pour la sauce, mélangez tous les ingrédients et placez-les dans un petit pot. Épluchez la carotte et coupez-la en bâtonnets, coupez également le concombre et les poivrons sans les éplucher. Lavez les tomates.

Pour les flans, lavez la courgette, coupez-la en dés. Mélangez la crème, la Maïzena et l'œuf, ajoutez le basilic haché, le parmesan, les dés de courgette, salez et poivrez. Versez la préparation dans des moules à muffin en silicone et mettez au four pour 25 minutes à 180 °C (th. 6). À la sortie du four, attendez que les flans aient refroidi pour les démouler et placez-les au frais. Placez-les dans le bento sur un lit de salade. Vous pouvez accompagner les flans d'un coulis de tomates légèrement épicé.

Pour le smoothie, coupez l'ananas et la pomme en morceaux. Pressez les oranges et le citron, placez ce jus dans le blender avec les morceaux de fruits et mixez jusqu'à l'obtention d'un mélange homogène. Versez la préparation dans une bouteille ou une boîte hermétique, accompagnez-la d'une brochette de framboises.

Conseil : pour profiter des vitamines, ne préparez pas le smoothie trop à l'avance et réservez-le bien au frais.

Papillotes de poisson aux légumes

Préparation : 15 minutes • Cuisson : 20 minutes • Difficulté : ★ Budget : ★

Pour 4 personnes

- 1 poivron rouge
- 1 aubergine
- 1 courgette
- 1 oignon
- 4 filets de merlan
- Boursin cuisine
- Origan
- 12 olives noires
- Sel et poivre

Préchauffez le four à 210 °C (th. 7).

Lavez et détaillez le poivron, l'aubergine, la courgette et l'oignon en petits cubes.

Découpez 4 rectangles de papier sulfurisé et posez-les sur la plaque du four.

Sur chaque rectangle, étalez une couche de légumes, puis déposez le poisson. Recouvrez de Boursin et surmontez d'une dernière couche de légumes. Salez, poivrez, parsemez d'origan et ajoutez quelques olives.

Fermez les papillotes et faites-les cuire au four pendant 20 minutes environ.

Conseil : vous pouvez réaliser cette recette avec des filets de lieu, de flétan ou de cabillaud.

Quiche légère sans pâte

Préparation : 40 minutes • Cuisson : 30 minutes • Difficulté : ★ Budget : ★★

Pour 6 personnes

- 2 courgettes
- 100 g de fromage frais allégé
- 10 cl de crème fraîche épaisse allégée
- 10 cl de lait écrémé
- 3 œufs
- 50 g de farine
- 50 g d'emmental râpé
- Basilic
- 12 noix de Saint-Jacques
- Sel et poivre

Lavez et râpez les courgettes. Mélangez le fromage frais avec la crème et le lait, ajoutez les œufs, la farine, l'emmental et le basilic, puis salez et poivrez.

Ajoutez les courgettes râpées à ce mélange et versez le tout dans un plat beurré et fariné. Répartissez les noix de Saint-Jacques en les enfonçant bien dans la pâte.

Mettez au four pour 30 minutes à 180 °C (th. 6).

Salade d'asperges et d'oranges

Préparation : 20 minutes • Cuisson : 7 minutes • Difficulté : ★ Budget : ★★

Pour 4 personnes

- 1 botte d'asperges vertes
- 3 cuil. à soupe d'huile d'olive
- 20 crevettes cuites (grosses)
- 2 oranges
- 1 cuil. à café de miel
- 100 g de roquette
- 1 cuil. à soupe de graines de sésame
- Sel et poivre

Nettoyez les asperges et coupez leur extrémité trop dure.

Faites chauffer 1 cuil. à soupe d'huile dans une sauteuse, mettez les asperges à dorer 5 minutes. Retirez les asperges et mettez les crevettes à griller.

Épluchez les oranges à vif au-dessus d'un bol pour récupérer le jus.

Ajoutez au jus d'orange récupéré dans le bol (il faut 3 cuil. à soupe de jus minimum), le miel et 2 cuil. à soupe d'huile, salez et poivrez.

Placez la roquette dans les assiettes, déposez les asperges, les quartiers d'orange et les crevettes. Arrosez de vinaigrette et saupoudrez de graines de sésame. Servez.

Salade de betteraves à l'orange

Préparation : 15 minutes • Repos : 1 heure • Difficulté : ★ Budget : ★

Pour 3-4 personnes

- **5 betteraves crues**
- **3 cm de gingembre frais**
- **1 pomme granny-smith**
- **2 oranges**
- **Le jus de ½ orange**
- **1 cuil. à soupe d'huile de noisette**
- **1 cuil. à soupe d'huile de pépins de raisin**
- **Graines germées de poireau**
- **Noisettes grillées**
- **Fleur de sel**
- **Sel et poivre**

Épluchez et lavez les betteraves. Taillez-les en petits bâtonnets. Réservez dans un saladier. Épluchez et taillez le gingembre et la pomme de la même manière. Mélangez aux bâtonnets de betterave.

Pelez à vif les oranges, enlevez bien la peau blanche restante et détaillez de beaux quartiers. Ajoutez les suprêmes à la salade de betteraves.

Versez le jus d'orange dans un bol. Assaisonnez-le de sel et de poivre, et montez le mélange avec de l'huile de noisette et de pépins de raisin. Versez la vinaigrette sur la salade de betteraves et mélangez.

Filmez et placez au réfrigérateur 1 heure minimum.

Au moment de servir, parsemez la salade de graines germées de poireaux et de quelques noisettes grillées et concassées. Versez un filet d'huile de noisette et quelques grains de fleur de sel.

Conseil : vous pouvez également réaliser cette recette avec des betteraves cuites.

Salade de blé multicolore

Préparation : 10 minutes • Cuisson : 15 minutes • Difficulté : ★ Budget : ★

Pour 4 personnes

- **125 g de blé**
- **3 tomates**
- **1 concombre**
- **1 oignon**
- **140 g de maïs en boîte**
- **12 olives vertes dénoyautées**
- **Basilic**
- **1 cuil. à soupe d'huile d'olive**
- **1 cuil. à soupe de vinaigre balsamique**
- **Sel et poivre**

Faites cuire le blé dans une casserole de 1,5 l d'eau bouillante salée. Laissez-le refroidir.

Coupez les tomates et le concombre en petits dés. Émincez l'oignon. Mélangez le tout dans un saladier avec le maïs et les olives.

Ajoutez le basilic ciselé, l'huile d'olive, le vinaigre balsamique, le sel et le poivre. Réservez au frais.

Conseil : complétez cette salade avec du thon, des œufs durs ou des morceaux de surimi.

Salade de chou au haddock et aux pommes

Préparation : 20 minutes • Difficulté : ★ Budget : ★★

Pour 4 personnes

- 200 g de chou blanc
- 2 cuil. à café de moutarde
- 2 cuil. à soupe de crème fraîche épaisse
- 1 cuil. à soupe d'huile d'olive
- 80 g de raisins secs
- 200 g de filets de haddock
- 2 pommes granny-smith
- 150 g de fromage frais

Mélangez le chou préalablement râpé, la moutarde, la crème, l'huile et les raisins.

Ne salez pas, car le fromage et le haddock le sont suffisamment.

Retirez la peau du poisson et coupez les filets en dés.

Taillez les pommes en allumettes à l'aide d'une mandoline.

Répartissez le chou dans les verrines, les allumettes de pommes, couvrez de fromage frais et finissez par les dés de haddock.

Décorez d'allumettes de pommes.

Conseil : vous pouvez préparer la salade de chou et couper le poisson à l'avance. Mais attendez le dernier moment pour trancher les pommes et monter les verrines, afin de ne pas voir les morceaux de pommes se noircir.

Salade de légumes du soleil

Préparation : 30 minutes • Repos : 1 heure • Cuisson : 10 minutes • Difficulté : ★ Budget : ★★

Pour 4 personnes

- 1 cube de bouillon
- 100 g de haricots verts
- 200 g de brocoli
- 1 courgette (petite)
- 1 oignon
- Basilic
- 3 cuil. à soupe d'huile d'olive
- 1 cuil. à soupe de vinaigre balsamique
- Le jus de 1 citron
- 1 gousse d'ail
- 12 tomates cerises
- 1 poivron jaune
- 100 g d'asperges (petites)
- Sel et poivre

Mettez une grande casserole d'eau à bouillir avec le cube de bouillon. Faites blanchir les haricots 2 minutes, puis ajoutez le brocoli en petits bouquets et la courgette coupée en rondelles, ainsi que l'oignon coupé en gros dés. Continuez la cuisson 8 minutes.

Égouttez-les bien, puis rafraîchissez-les sous l'eau froide. Les légumes doivent rester fermes.

Réservez une dizaine de petites feuilles de basilic, puis hachez le reste.

Dans un saladier, mélangez l'huile d'olive, le vinaigre balsamique, 1 cuil. à soupe de jus de citron, le basilic haché, l'ail haché, salez et poivrez. Ajoutez les légumes refroidis, les tomates cerises coupées en deux, le poivron coupé en dés, les pointes d'asperges tendres et mélangez délicatement.

Réservez au frais 1 heure, puis servez le plat décoré de feuilles de basilic.

Salade de mâche et de betteraves

Préparation : 20 minutes • Cuisson : 5 minutes • Difficulté : ★ Budget : ★

Pour 6 personnes

- **6 pommes de terre**
- **400 g de mâche**
- **1 oignon rouge**
- **2 betteraves cuites**
- **6 œufs**
- **3 cuil. à soupe d'huile d'olive**
- **1 cuil. à soupe de vinaigre de vin**
- **Sel et poivre**

Épluchez et faites cuire les pommes de terre à la vapeur.

Nettoyez la mâche, retirez les petites racines, lavez-la et séchez-la délicatement.

Émincez l'oignon rouge, coupez les betteraves en tranches, puis en quatre.

Faites bouillir une casserole d'eau salée ; lorsqu'elle bout, plongez-y les œufs pour 5 minutes afin de les rendre mollets. Mettez-les dans l'eau froide pour stopper la cuisson, puis ôtez les coquilles.

Placez la mâche dans des assiettes creuses, répartissez les pommes de terre coupées en rondelles encore chaudes, les betteraves et les oignons.

Réalisez une vinaigrette, arrosez la salade, placez un œuf mollet ouvert en deux au centre et servez aussitôt.

Conseil : l'originalité de cette recette est due au mélange d'ingrédients chauds et froids, mais aussi à la palette de couleurs qui fait de cette salade très simple un plat magnifique.

Salade de poulet aux graines germées

Préparation : 15 minutes • Cuisson : 10 minutes • Difficulté : ★ Budget : ★★

Pour 4 personnes

- 150 g de mélange quinoa-boulgour
- 4 cuil. à soupe d'huile d'olive
- 2 échalotes
- 1 poivron rouge
- ½ concombre
- 2 tomates
- 1 cuil. à soupe de persil (haché)
- Le jus de 1 citron
- 150 g de graines germées (radis, betterave, petit pois)
- 300 g de blancs de poulet
- Sel et poivre

Mettez le mélange de céréales à cuire dans une casserole d'eau salée bouillante pendant 10 minutes. Égouttez, arrosez d'huile d'olive et laissez refroidir.

Épluchez les échalotes, hachez-les. Faites de même pour le poivron, le concombre et les tomates.

Ajoutez-les aux céréales, ainsi que le persil, versez 2 cuil. à soupe de jus de citron et rectifiez l'assaisonnement.

Ajoutez la moitié des graines germées, mélangez délicatement, puis répartissez dans les bols, déposez le poulet émincé et décorez avec le restant de graines germées.

Salade de poulpes

Préparation : 30 minutes • Repos : 1 heure • Cuisson : 30 minutes • Difficulté : ★ Budget : ★★

Pour 4 personnes

- 500 g de poulpes
- 1 oignon
- 2 carottes
- 1 cube de bouillon
- 2 tomates
- 1 courgette
- ½ poivron rouge
- ½ poivron vert
- 3 cuil. à soupe d'huile d'olive
- Le jus de 1 citron
- 2 gousses d'ail
- 3 branches de persil
- Sel et poivre

Nettoyez les poulpes, retirez la poche d'encre, le bec et la tête, placez-les dans une grande cocotte et couvrez-les d'eau.

Ajoutez l'oignon émincé, les carottes coupées en dés, un cube de bouillon et mettez à cuire sous pression 30 minutes, puis laissez refroidir dans la cocotte.

Sortez les poulpes, retirez la peau, coupez-les en tronçons mais en conservant les petits tentacules en entier.

Coupez les légumes en brunoise (petits dés), ajoutez les carottes de cuisson.

Arrosez d'huile d'olive, ajoutez 1 cuil. à soupe de jus de citron, l'ail et le persil haché, salez et poivrez. Ajoutez les poulpes et mélangez délicatement.

Couvrez et laissez reposer 1 heure au frais avant de servir.

Salade vitaminée

Préparation : 15 minutes • Difficulté : ★ Budget : ★★

Pour 4 personnes

- **2 pommes**
- **Le jus de ½ citron**
- **175 g de mesclun**
- **20 tranches de viande des Grisons**
- **8 cerneaux de noix**
- **4 branches de persil**
- **3 cuil. à soupe d'huile d'olive**
- **1 cuil. à soupe de vinaigre balsamique**
- **Sel et poivre**

Après avoir conservé quelques lamelles entières pour la décoration, coupez les pommes en bâtonnets. Placez-les dans un petit saladier et arrosez-les de jus de citron pour éviter qu'ils noircissent.

Répartissez la salade sur 4 assiettes plates, ajoutez les allumettes de pommes et des chiffonnades de viande des Grisons. Saupoudrez de noix grossièrement concassées. Ajoutez des petits brins de persil, salez et poivrez. Décorez de quelques lamelles de pommes disposées en éventail.

Servez la salade accompagnée d'une vinaigrette réalisée avec l'huile d'olive, le vinaigre balsamique et le reste de jus de citron.

Smoothie tomate, basilic et chèvre

Préparation : 15 minutes • Cuisson : 1 minute • Difficulté : ★ Budget : ★

Pour 2 personnes

- **5 tomates**
- **5 cl de coulis de tomates**
- **1 yaourt grec**
- **60 g de fromage de chèvre**
- **1 bouquet de basilic**
- **2 glaçons**
- **Paprika**
- **Sel et poivre**

Plongez les tomates 1 minute dans de l'eau bouillante, puis épluchez-les et épépinez-les. Placez la chair des tomates dans le blender, ajoutez le coulis, le yaourt, le fromage, les feuilles de basilic et les glaçons.

Salez, poivrez et mixez le tout, jusqu'à l'obtention d'un mélange homogène et servez aussitôt, saupoudré d'une pincée de paprika.

Tartare de courgettes

Préparation : 45 minutes • Cuisson : 2 minutes • Difficulté : ★ Budget : ★

Pour 6 personnes

- **3 courgettes**
- **½ poivron rouge**
- **12 olives noires**
- **2 cuil. à soupe d'huile d'olive**
- **½ cuil. à café de vinaigre balsamique**
- **Basilic**
- **Sel et poivre**

Lavez les courgettes, coupez les extrémités et laissez la peau. Coupez-les en 2 dans le sens de la longueur et découpez à la mandoline 6 lamelles pas trop épaisses. Faites-les blanchir dans de l'eau bouillante salée 2 minutes, égouttez-les bien.

Coupez le reste des courgettes en petits dés ainsi que le poivron épépiné et les olives noires. Ajoutez l'huile, le vinaigre, 1 cuil. à soupe de basilic ciselé, salez, poivrez et mélangez le tout. Réservez au frais.

Formez des cercles avec les lamelles de courgettes sur les assiettes en les tenant fermées avec un cure-dents. Remplissez-les de tartare de courgettes, décorez de petites feuilles de basilic frais et servez.

Soupe de cresson

Préparation : 15 minutes • Cuisson : 40 minutes • Difficulté : ★ Budget : ★

Pour 6 personnes

- **2 bottes de cresson**
- **1 oignon**
- **Margarine**
- **4 pommes de terre**
- **1 cube de bouillon de légumes**
- **3 cuil. à soupe de crème fraîche épaisse**
- **Sel et poivre**

Lavez le cresson, retirez les grosses tiges.

Faites-le revenir avec l'oignon émincé dans une noix de margarine, puis ajoutez les pommes de terre coupées en dés et le cube de bouillon. Couvrez avec 1 l d'eau, salez, poivrez et laissez cuire 40 minutes.

Vérifiez la cuisson des pommes de terre à l'aide d'un couteau, puis mixez le tout. Ajoutez la crème et servez aussitôt.

Tartare de hareng aux pommes

Préparation : 20 minutes • Difficulté : ★ Budget : ★

Pour 6 personnes

- 6 filets de hareng fumé
- 3 pommes granny-smith
- ½ citron
- 2 cuil. à soupe d'huile d'olive
- 1 bouquet de ciboulette
- 1 concombre
- 1 cuil. à soupe de baies roses
- Poivre

Coupez les filets de hareng en dés, ainsi que les pommes. Mélangez-les et arrosez-les de 2 cuil. à soupe de jus de citron et d'huile d'olive. Ajoutez la ciboulette ciselée et poivrez. Réservez au frais.

Lavez et coupez le concombre en fines rondelles à l'aide d'une mandoline et placez-les en rosace sur le fond des assiettes.

Déposez le tartare sur le concombre en vous aidant d'un petit cercle, tassez avec une cuillère à soupe, puis retirez le cercle.

Arrosez d'un fin filet d'huile d'olive, décorez de baies roses et de brins de ciboulette.

Conseil : si vous ne possédez pas de cercle, utilisez une boîte de conserve de thon ouverte des 2 côtés.

Tomates en éventail

Préparation : 10 minutes + 20 minutes pour dégorger • Cuisson : 1 heure • Difficulté : ★ Budget : ★

Pour 6 personnes

- **6 tomates**
- **3 courgettes**
- **2 cuil. à soupe d'huile d'olive**
- **5 gousses d'ail**
- **1 bouquet de persil**
- **Sel et poivre**

Lavez les tomates. Coupez-les en tranches sans aller jusqu'au fond. Salez-les et faites-les dégorger à l'envers sur du papier absorbant pendant 20 minutes.

Préchauffez le four à 200 °C (th. 6-7).

Pendant ce temps, lavez les courgettes et pelez-les en gardant la peau une fois sur deux. Détaillez-les en fines rondelles. Mettez-les dans un saladier en les mélangeant avec 1 cuil. à soupe d'huile d'olive, l'ail et le persil hachés.

Placez les tomates dans un plat à gratin. Glissez entre chaque tranche des rondelles de courgettes imprégnées d'ail et de persil. Salez, poivrez et arrosez d'huile d'olive.

Mettez au four 1 heure et servez chaud.

Conseil : en cours de cuisson, aplatissez légèrement la surface avec le dos d'une fourchette pour que les courgettes cuisent bien dans le jus des tomates.

Mousse légère aux pommes

Préparation : 30 minutes • Repos : 6 heures • Cuisson : 20 minutes • Difficulté : ★ Budget : ★

Pour 6 personnes

- 9 cuil. à soupe de fromage blanc
- 3 pommes
- ½ cuil. à café de cannelle en poudre
- 3 blancs d'œufs
- 60 g de sucre

Égouttez le fromage blanc dans une passoire recouverte de gaze pendant 4 heures minimum.

Épluchez les pommes et coupez-les en petits morceaux. Placez-les dans une casserole avec un fond d'eau et la cannelle et laissez cuire à feu doux 20 minutes afin de bien cuire les pommes.

Réduisez les pommes en purée en les écrasant avec une fourchette. Laissez refroidir, puis ajoutez le fromage blanc égoutté.

Battez les blancs d'œufs en neige ferme, puis ajoutez le sucre quand ils commencent à bien mousser. Incorporez les blancs d'œufs délicatement aux pommes.

Répartissez cette mousse dans 6 verrines ou coupelles et laissez reposer 2 heures minimum au frais.

Saupoudrez d'un peu de cannelle en poudre. Décorez de fleurs de badiane et de bâtons de cannelle.

Salade d'agrumes

Préparation : 30 minutes • Repos : 2 heures • Difficulté : ★★ Budget : ★

Pour 4 personnes

- 1 pamplemousse
- 3 clémentines
- 2 oranges
- 1 citron vert
- 2 cuil. à café de miel
- 1 cuil. à café de cannelle
  en poudre
- Menthe

Épluchez le pamplemousse à vif avec un bon couteau et prélevez les quartiers de fruit sans les casser. Travaillez au-dessus d'une assiette creuse afin de récupérer le jus du fruit. Épluchez les clémentines et les oranges, séparez les quartiers et essayez de retirer la fine membrane.

Prélevez le zeste du citron vert, puis pressez le jus. Ajoutez le miel au jus de citron ainsi que le jus des fruits épluchés. Placez les quartiers de fruits en rosace dans des assiettes creuses, arrosez-les de jus de fruits au miel. Saupoudrez de zeste de citron et de cannelle.

Placez au frais 2 heures au minimum avant de servir ce dessert bien frais décoré de petites feuilles de menthe.

Salade de fruits rouges

Préparation : 15 minutes • Repos : 4 h 30 • Cuisson : 5 minutes • Difficulté : ★ Budget : ★★

Pour 4 personnes

- **70 g de sucre**
- **2 sachets de thé earl grey**
- **200 g de fraises**
- **200 g de framboises**
- **150 g de myrtilles**
- **150 g de mûres**
- **Menthe**

Faites bouillir 15 cl d'eau et le sucre dans une casserole. Puis arrêtez le feu, ajoutez les sachets de thé et laissez infuser 30 minutes.

Lavez et séchez les fruits rouges, ajoutez le sirop et laissez reposer 4 heures au frais.

Servez ce dessert très frais décoré de petites feuilles de menthe.

Smoothie aux agrumes

Préparation : 20 minutes • Difficulté : ★ Budget : ★

Pour 2 personnes

- 1 pamplemousse rose
- 1 orange
- 2 clémentines
- 2 boules de sorbet citron

Épluchez le pamplemousse ainsi que l'orange à vif, et retirez toutes les petites peaux blanches. Ôtez les pépins.

Placez la pulpe des fruits dans le blender avec le jus des clémentines, puis ajoutez le sorbet.

Mixez le tout jusqu'à l'obtention d'un mélange homogène et servez.

Smoothie betterave et pomme

Préparation : 10 minutes • Difficulté : ★ Budget : ★

Pour 2 personnes

- 100 g de betteraves cuites
- 2 pommes granny-smith
- 20 cl de jus de pomme
- 1 cuil. à soupe de miel
- 2 glaçons

Coupez les betteraves en dés ainsi que les pommes. Placez les fruits dans le blender, puis ajoutez le jus de pomme, le miel et les glaçons.

Mixez le tout jusqu'à l'obtention d'un mélange homogène et servez aussitôt.

Smoothie carotte et orange

Préparation : 10 minutes • Difficulté : ★ Budget : ★

Pour 2 personnes

• **2 carottes**
• **3 oranges**
• **1 pomme**

Épluchez les carottes. Coupez-les en petits dés et mixez-les assez longtemps dans le blender. Pressez le jus des oranges et récupérez la pulpe, puis ajoutez-les ainsi que la pomme aux carottes mixées.

Mixez le tout jusqu'à l'obtention d'un mélange homogène et servez.

Smoothie melon, abricot et groseille

Préparation : 5 minutes • Difficulté : ★ Budget : ★★

Pour 2 personnes

- ½ melon
- 5 abricots
- 100 g de groseilles
- 1 cuil. à soupe de sucre
- 3 glaçons

Prélevez la chair du melon bien frais, placez-la dans le blender avec les abricots, les groseilles, le sucre et les glaçons.

Mixez le tout jusqu'à l'obtention d'un mélange homogène et servez aussitôt.

Smoothie pêche et thé à la bergamote

Préparation : 10 minutes • Repos : 5 minutes • Difficulté : ★ Budget : ★

Pour 2 personnes

- 1 sachet de thé à la bergamote
- 2 cuil. à café de miel
- 4 pêches

Portez 30 cl d'eau à ébullition et laissez infuser le thé à la bergamote pendant 5 minutes. Ajoutez le miel, puis laissez refroidir et réservez au frais.

Placez les pêches épluchées dans un blender, ajoutez le thé et mixez le tout jusqu'à l'obtention d'un mélange homogène.

Ajustez à votre goût en ajoutant du miel si besoin et servez aussitôt.

Verrines light

Préparation : 20 minutes • Repos : 2 heures • Cuisson : 2 minutes • Difficulté : ★ Budget : ★

Pour 4 personnes

- 6 kiwis bien mûrs
- 10 cl de jus de fruits
  sans sucre ajouté
- ½ cuil. à café d'agar-agar
- 400 g de fromage blanc à 0 %
  de matière grasse
- 2 sachets de sucre vanillé
- 130 g de crème liquide entière
- 20 cl de jus de fruits rouges
  sans sucre ajouté
- 1 sachet de gel à tarte
- 125 g de groseilles

Prélevez la chair des kiwis et réduisez-la en purée. Versez-la dans les verrines.

Faites bouillir les 10 cl de jus de fruits et ajoutez l'agar-agar. Laissez tiédir et ajoutez ce jus au fromage blanc ainsi que le sucre vanillé.

Fouettez la crème liquide en chantilly et ajoutez-la au fromage blanc. Versez cette mousse sur la purée de kiwis et laissez prendre au frais.

Chauffez le jus de fruits rouges et ajoutez le sachet de gel à tarte (suivez les recommandations notées sur le paquet).

Équeutez les groseilles et disposez-les sur la mousse de fromage blanc. Versez le jus de fruits rouges tiédi.

Mettez au frais 2 heures avant de servir.